ヒトダマ!?

学校に来なくなった
ざしきわらしと話したくて、
はい屋にやってきた三太

勝手に家に入られて
怒った
ざしきわらしに
なぞの玉を
飲まされて!?

人の家に
かってに入って
わるいと
思わないのか!

あやしい玉!?

さっそく読んでみよう!

三太あやうし!
このあとどーなる!?

【新装版】水木しげるのおばけ学校⑥

3年A組おばけ教室

でてくる おばけたち

この本に
人びとと
三太のおかあさん
三太のおとうさん
ざしきわらし
テレビ局の社長
祖先の霊

三太が学校にいくと、
ふうがわりな転校生が
きていた。
　きものを着て、むかしの
ことばをしゃべる
子どもだ。
「むかしゃ、ここら
草っぱらじゃった。
おお、そうじゃ、
おめえら
すごろくして
あそばねえか。」

ポカーンと見(み)ていた
三太(さんた)たちに、
めずらしそうに
よってきた。
キンコーン、カーンコン。
あいにく授業(じゅぎょう)のかねが
なり、転校生(てんこうせい)もみんなに
すすめられて、
あいている席(せき)にすわった。

先生は教室にくると、いつもと同じように授業をはじめた。

みんな不平そうに、口ぐちに言った。

「先生、転校生をしょうかいしてください。」

先生はチョークをもった手をとめて、目をパチクリ。

「なんのことだい。」

こんどは、みんながおどろくばん。

「だって、そこにきものを着た男の子がいるでしょう。」

「エッちゃんのとなりですよ。」

しかし、先生にはなにも見えないのだった。

「きみたち、ふざけちゃいかんよ。」

「ふざけてるのは、先生のほうでーす。

ほら、すわっているじゃないですか。」

先生は頭が混乱したので、

校長先生をよびにいった。
やがてあらわれた校長先生も、
「だれもいないよ。きみたち、
うそはどろぼうの
はじまりです。」
と言うのだった。

つぎの日、ふうがわりな子どもは、
やはり学校にやってきた。
そのつぎの日も、またつぎの日もきて、
エッちゃんのとなりにすわった。
「あんた、
なまえ
なんて
いうの。」
「ざしき
わらし
というもんだ。」
「へえー、
かわった名前ね。

家どこ？」

すると、ざしきわらしは、とたんにふきげんになって、

「おばけにじゅうしょをきくもんじゃないよ！」

と言うがはやいか、ちかくのはい屋（こわれかかった家）の中に消えていった。

おばけときいて、しばらく考えこんでいたエッちゃんは、声をふるわせて、

「キャー。」

と言うと、その場にたおれてしまった。

ひめいをきいてかけつけた三太は、エッちゃんを助けおこし、くわしくじじょうをきいた。

「そうか、あの子どもはざしきわらしというおばけだったのか。」

しかし、ざしきわらしは、それっきり学校にこなくなった。

三太は、ざしきわらしがどうして
学校にこなくなったのか、
じじょうをききたいと思った。

そこで、ゆうかんなねこの三毛をつれて、
はい屋のたんけんに出かけることにした。

まっくらなはい屋に入って、
目をこらしていると、
おくのほうにぼんやりとあかりがみえる。

よく見ると、そのあかりは
ヒトダマで、見るまに人間の
かたちになっていった。

これには、さすがのがき大将も、
こしをぬかしてにげられない。
三毛も、コチコチの冷凍ねこになって
たおれている。
「ひょっとして、ここはおばけやしき⁉」
人間のかたちをしたヒトダマは、
「イヒヒヒヒ」と、
わらいながら、
かいだんを

のぼっていった。

「よくも三毛を冷凍にしたな。」

三太は気をとりなおしておいかけていったが、まちぶせしていたヒトダマに手玉にとられて、かいだんからおちてしまった。ヒトダマは、うれしそうに、「ケケケケケ」とわらうと、ゆかしたに消えていった。

三太はおいかけようとしたが、ここはひとまず、
こおりついた三毛を家へつれてかえることにした。

家では、両親がしんぱいそうにまっていた。

「三太！　おまえ、いったいどこにいっていたの！」

「おとうさん、おかあさん。友だちがいなくなったので、
さがしていたのです。」

「まあ、そんなことより宿題でもやりなさい。」

教育ねっしんなおかあさんは、「宿題、勉強をしなさい。」

と言うのがしゅみなのだった。

きょうふのために冷凍（れいとう）ねこになっていた
三毛（みけ）は、ふとんの中（なか）で三太（さんた）にもんでもらって、
やっといきをふきかえした。
「ニャンちゅうこわいもんだろう。」
という目（め）つきで、三毛（みけ）は三太（さんた）にかんしゃした。
三太（さんた）は、こわいけれども
おばけという人間（にんげん）いがいの**いきもの**と
しりあいになれると思（おも）うと、
ゾクゾクするほどうれしかった。

そして、
ざしきわらしのにげこんだはい屋を、
もういちどたんけんしてみようときめた。
同じふとんでねていると、
気もちがつうじあうのか、三毛までも、
「ニャニがニャンでもたんけんしよう。」という
気もちになるのだった。

三太は学校にいくと、エッちゃんにきのうのようすを話した。

「三ちゃん、すごいわね。よくこわくないわねえ。」

エッちゃんが、あまりにも感心するので、
三太はちょうしにのって、

「学校のかえり、三毛とゆかしたに入る決心なんだ。みんなにさわがれるとまずいから、ひみつにしてね。」

と言ってしまった。

エッちゃんは、三太のいだいなぼうけん心にうたれ、

「しょうらい、けっこんするなら三太さんみたいな人と……。」

と、思うのだった。

さて、授業はなにをやっていたのかわからないうちにおわり、三太ははい屋のゆかしたのたんけんにとりかかった。

メリメリとゆか板をはがすと、小さな穴があいていた。

三毛は、きのうと同じねことは思えないくらいのかつやくで、穴をひろげた。

三太が穴の中へ入ってみると、なんと、そこは古代の住居あとのようだった。

もっと穴がないかと、さがしてみたが、ゆきどまりだった。

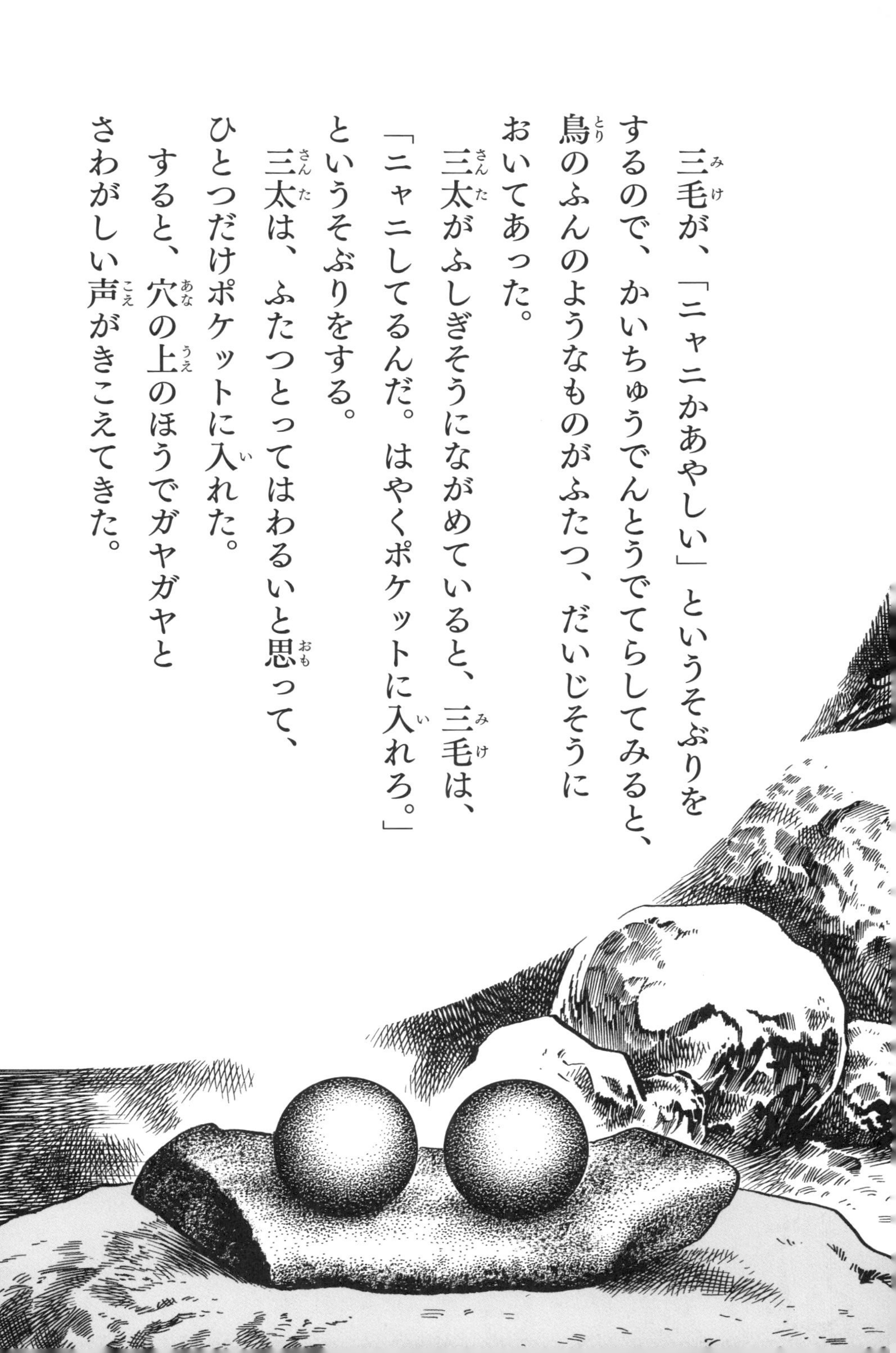

三毛が、「ニャニかあやしい」というそぶりをするので、かいちゅうでんとうでてらしてみると、鳥のふんのようなものがふたつ、だいじそうにおいてあった。

三太がふしぎそうにながめていると、三毛は、

「ニャニしてるんだ。はやくポケットに入れろ。」

というそぶりをする。

三太は、ふたつとってはわるいと思って、ひとつだけポケットに入れた。

すると、穴の上のほうでガヤガヤとさわがしい声がきこえてきた。

なにごとだろうと、ゆかしたから出てみると、エッちゃんと三太の両親がきていた。

「おまえ、なにやってるんだ。もう夜だぞ。おばけにさらわれたらどうするんだ。」

おとうさんは、きげんがわるかった。

「あら、三毛まで。このねこ、ふりょうねこですよ。すてましょう。」

おかあさんまで、鬼のようなことを言う。三太は、ちょっとおこっていた。

「おかあさん、三毛だって家に二年もいるじゃありませんか。そんな無情なこと言わないでくださいよ。ぼく家にかえって勉強しますから。」

そう言うと、おかあさんは、すぐにごきげんになるのだった。

三毛は、おかあさんのことばにショックを
かくしきれない表情で、三太をみつめた。
おとうさんは、さらにことばをかさねて言った。
「とにかく、あんなきたないあき家のゆかしたなどへ、
こんご入ってはいけない。」
その夜、三太は夕食を食べると、
勉強したふりをして、
ふとんの中にもぐりこんだ。

よく朝、三太は、ウサギのせわがあるからと、いつもよりはやく家を出た。

しかし、三太の足は学校ではなく、はい屋へとむかっていた。

やっとはい屋にたどりついたとたん、うしろからよぶ声がした。

「三太、おめえ、ひとの家に勝手に入ってわるいと思わねえのか。」

「あっ、ざしきわらしじゃないか。おれは、おまえをさがしにきたんだぞ。人の親切をつかまえて、勝手に入ったとはなんだ。」

「なんだと。」

「なにを。」

三太は、ざしきわらしのあごめがけて、ゲンコツをふるった。

ざしきわらしは、それをひらりととんでよけると、

「おめえ、まだ、おれの実力がわからねえと見えるな。」

と、自分のからだを三太にまきつけてきた。

「な、な、なんだよ。」

三太は抵抗しようにも、うでが自由にならない。

「まだわからねえんだな。じゃあ、このまるい玉をのめ。」

「なんだ、それは！」

「いいから、のんでみろ。」

三太は口をむすんで、さいごの抵抗をした。

ざしきわらしは、口をひらかせるために、首をしめあげた。

「ううーっ、く、る、し、い……。」
三毛は、主人あやうしとみて、
ざしきわらしの足にかみついた。
しかし、かみついたとたん、
ざしきわらしにつかまれ、
また冷凍ねこにされてしまった。

ざしきわらしにしめられて、三太はますます
くるしくなってきた。
「くるしいか。くるしけりゃあ、
はやくこの玉をのむことだ。」
三太は、命にはかえられないと、
そのまるい玉をのみこんだ。
と、同時に……、

ボアーン！
というばくはつ音。
三太は、白い光に
つつまれてしまった。

「なんだこりゃあ。
ビニールみたいなもんだな。」
三太(さんた)があるこうとすると、ビニールみたいな
ものがじゃまになってあるけない。
「なんだ。ものすごく不自由(ふじゆう)なもんだなあ。」
やぶろうとしても、とても強(つよ)くて
やぶれない。

力をいれて、ふんばると、
ぎゃくに重心をうしなって、
コロコロところがりだした。
三太は、あーっと言うまに、
くぼちにおち、したたかに
腰をうってしまった。

「こいつは、うかうかあるけないぞ。」
三太は、そろりそろりとあるきながら、自分の家にむかった。

やっと、家にたどりついた三太は、
ドアをドンドンたたいて、さけんだ。

「おとうさん、おかあさん、あけてください！」

しかし、だれも出てこない。

そのうち、月が出て夜になった。

三太は、心ぼそくなって、ありったけの声をはりあげた。

「だれか、きてくれーっ！」

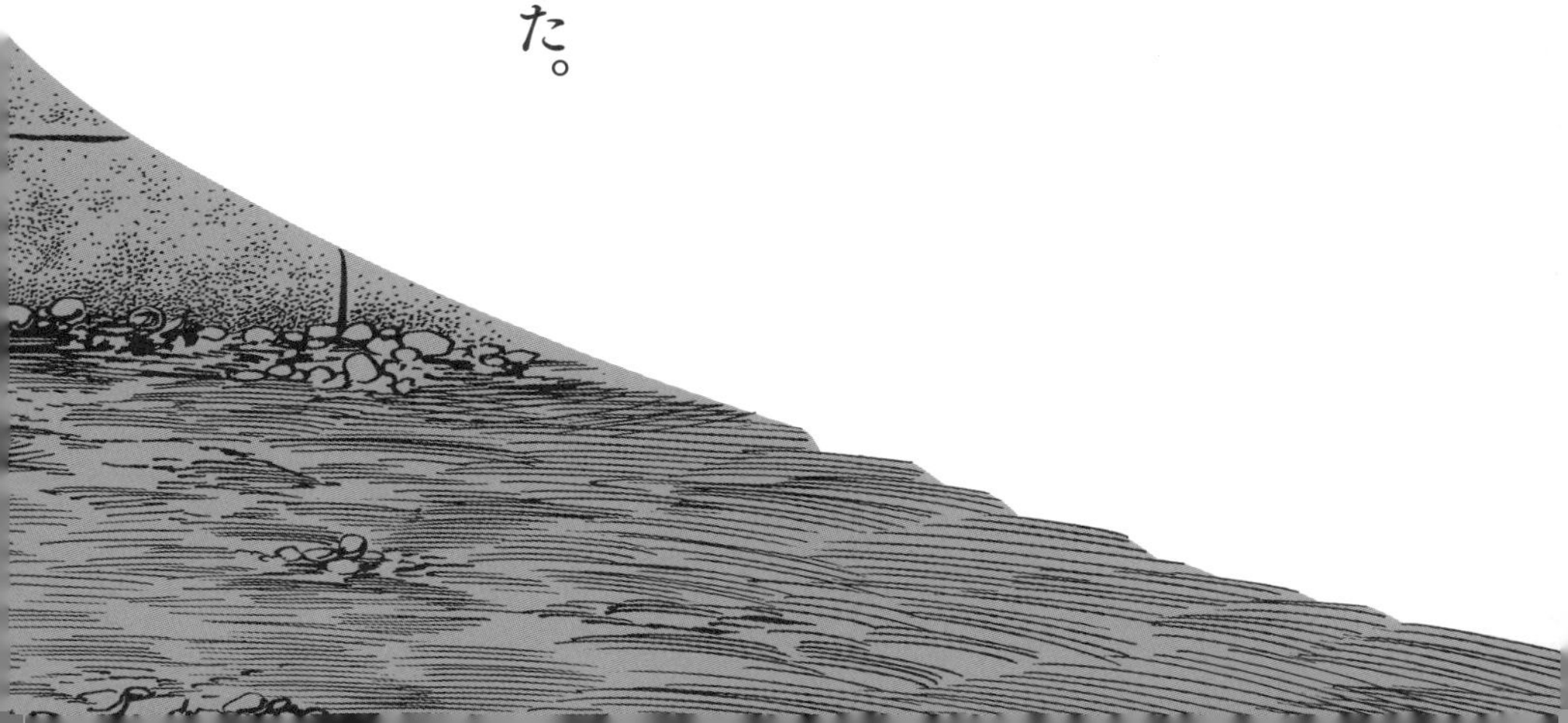

やっと、三毛だけがやってきた。
「三毛、ぼくだ。」
三毛は、ふと立ちどまったものの、
妙な顔をして、ねずみなどをさがしている。
「バカ、ここにいるじゃないか。」
そんな三太の声もきこえないかのように、
やがて三毛はビニールの中をとおりぬけて
さっていった。

「おかしいなあ。まさか、ぼく透明人間になっているわけじゃないだろうなあ。」

と、カベの中に入っていこうとすると、なんととおりぬけられるではないか。

「なんだ。カベの中でもとおれるじゃないか。」

三太はひとりごとを言いながら、茶の間に入っていった。

「ほんとに三太はどこに
いったんでしょうねえ。」
「ウム。そのうち
かえってくるだろう。
まったくこまった
やつだ。」
両親には、そばにいる
三太が見えないのだ。
「おとうさん、
おかあさん！
ぼく、かえってきたよ！」

「とにかく、エッちゃんにでんわしてみましょう。」

おかあさんは受話器をとって、ダイヤルをまわしはじめた。

「あっ、おかあさん、やめて！ぼく、ここにいるじゃないの。エッちゃんにしんぱいかけないでよ！」

おかあさんは、あせる三太にかまわずエッちゃんと話しはじめた。

「ひょっとしたら、ぼく死んでるんじゃないかな。」

三太は、ぜつぼうてきな気分で、てんじょうを見上げ、ギョッとした。

むかしのきものを着て、
かげのうすい人たちが、
三太と同じような
ふくろにくるまれて、
空中にうかんでいるのだ。
「いったい、あなたがたは
どなたさまであらせられますか。」
シーン……。
「へんじもしてくれないや……。
それにしても、なんとなくぼくに
にてるなあ。」

あくる日、三太はとぼとぼと学校までやってきた。

「あっ、エッちゃんだ。」

しらぬ顔をしてとおりすぎていくエッちゃんの頭の上にも、昨夜見たのと同じような人たちがうかんでいた。

校長先生の頭の上も、同じだった。

「あれは、いったいなんなのだろう。しかも、それぞれの頭の上にいる人たちは、なんとなくその人ににている……。」

ひとりごとを言いながら、やねの上の三毛を見上げた。

「あっ、三毛まで……。これはひょっとすると、祖先の霊かもしれないな。きっと、子孫のゆくすえを見まもっているのだ。」

すいりをはたらかせて考えてみると、
これはなかなかおもしろそうだ。
「よし、このなぞを、てっていてきに
きゅうめいしてやるぞ。」
はりきった三太は、
人のおおぜいいるところ、
中学校の合格発表の会場にいってみた。

「やっぱり、思ったとおりだ。」

おおぜいの人たちが、合格発表を見にきていた。

そして、その十倍くらいの数の祖先の霊たちが、空中でしんぱいそうに、見まもっていた。

それは、試験のけっかがどうだったのかというのではなく、子孫がどんなくらしをしているのかを、見まもっているふうだった。

合格者発

「きっと、自分たちの子孫が幸福になることをねがっているのだろう。」

三太は、そう思いながら学校をはなれた。

そして町はずれの神社までやってきたときだった。

「三太っ！」

ききなれない声が、三太をよんだ。

ふりむくと、三太によくにたじいさんが、神社のやねの上にいた。

「あ、もしかしてあなたは、ぼくの祖先ではありませんか。」

すると、じいさんはひらりとおりてきて、
「そんなことはどうでもいい。
それより、鬼太郎に相談して、
はやくその中から出ないと、
もう永久に出られなくなるぞ。」
と、おそろしいことを言った。

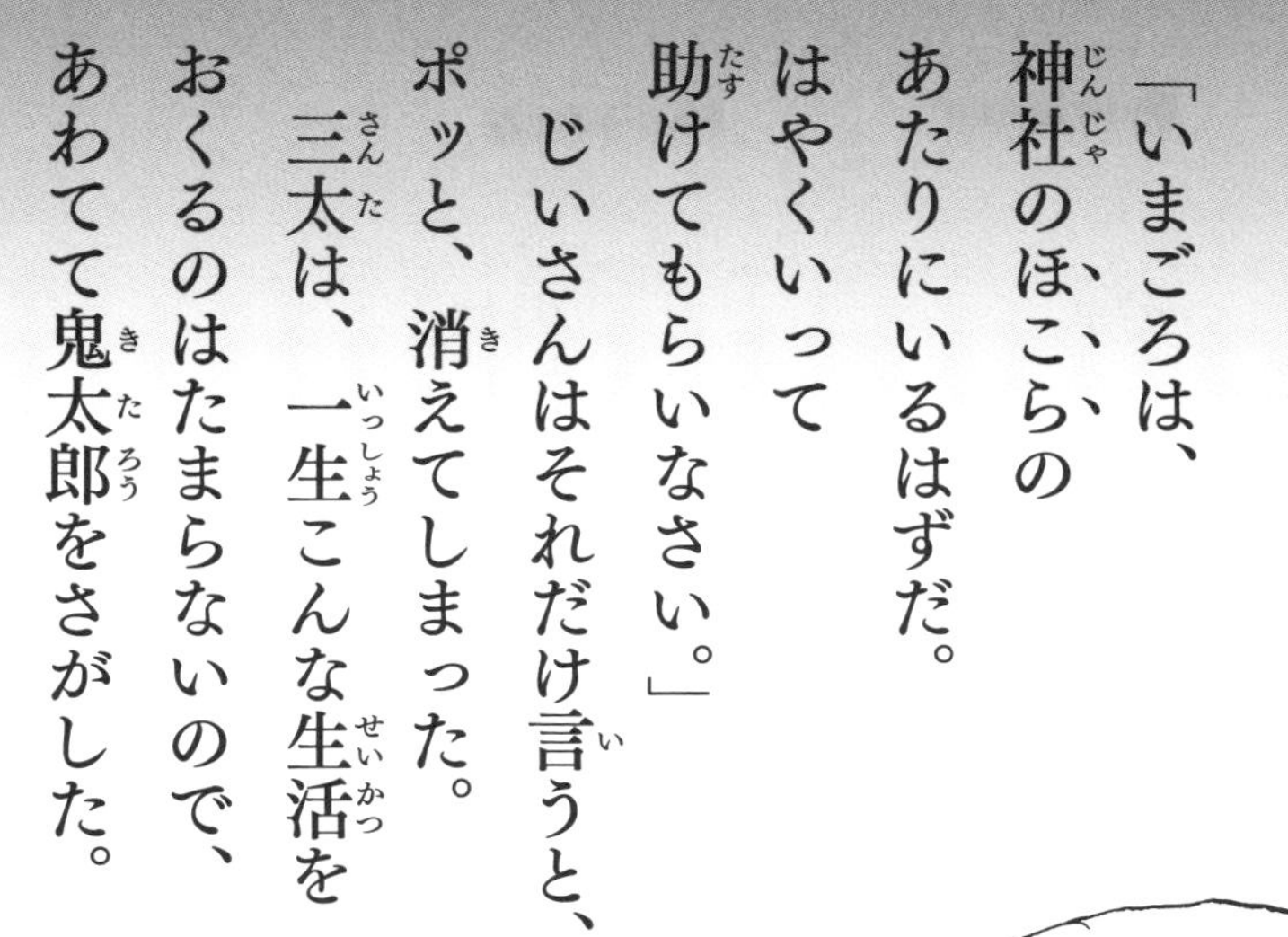

「いまごろは、
神社のほこらの
あたりにいるはずだ。
はやくいって
助けてもらいなさい。」
じいさんはそれだけ言うと、
ポッと、消えてしまった。
三太は、一生こんな生活を
おくるのはたまらないので、
あわてて鬼太郎をさがした。

「鬼太郎さーん！」
三太は大声でよんだ。
「鬼太郎なら、川へ
どじょうをとりにいってるよ。」
ヒマをもてあましている
ねずみ男がこたえた。
「あっ、あなたにはぼくが
見えるんですか！」
三太がかんげきして言うと、
ねずみ男はふきげんそうに
言った。

「見えるのなんて、しつれいな。ぼくは人間に見えないものを見てメシくってるえらい者だ。ばあいによっては、おまえのなやみをきいてやらぬでもないぞ。」

すこしまよったものの、三太はこれまでのいきさつを話しはじめた。

「フム。
するとおめえは
もう人間じゃねえんだ。
幽体ってものに
なってるんだ。
わかるかな?」
「幽体?」
「まあ、てっとりばやく言えば、
ゆうれいみたいなものよ。」
三太は、ゆうれいときいて
青ざめてしまった。

「三太。おちつけ。幽体になりゃあ、
テレビの中に自由に出入りできるんだ。」
ねずみ男は、話はこれからだという顔で、
三太をはげました。
「テレビって……、あれ電気でしょう？」
「ばか、おれさまは三百年も生きてきて、
ふかいちしきをもってんだ。
だまっておれの言うことをきけばいいんだ。」
「はい。」

「さっそくだぜ、三太。あの電気屋のテレビに入って、コマーシャルに出てる商品をぬすんでこい。」

「ええっ。」

「おどろくこたあねえよ。おめえ、人間じゃねえんだ。幽体なんだよ。」

「でも、ぼくどろぼうするなんて、いやだよ。」

「このガキ、わかんねえやつだなあ。幽体は人間じゃねえんだ。だから、人間の法律にはひっかからねえんだ。」

「はあ……。」

「なさけない顔するなよ。幽体になることはおれの夢だったんだ。人間の法律やしきたりにかんけいなく自由に生きられるなんて最高だぜ。」

「はあ……。」

「しんぱいするな。万事、このおれを信頼することだ。」

「……。」

「おっと、腹へったな。おい、テレビに入って
ハムでもとってきてくれ。」
「でも、ほんとうに入れるんですか。」
三太は、どうも気がすすまない。
「バカ。本人がその気にならなかったら、
どうして入れるんだ。
おめえは人間より自由なんだよ。
人間をくるしめるあらゆるきそくは、
おめえにはねえんだよ。」

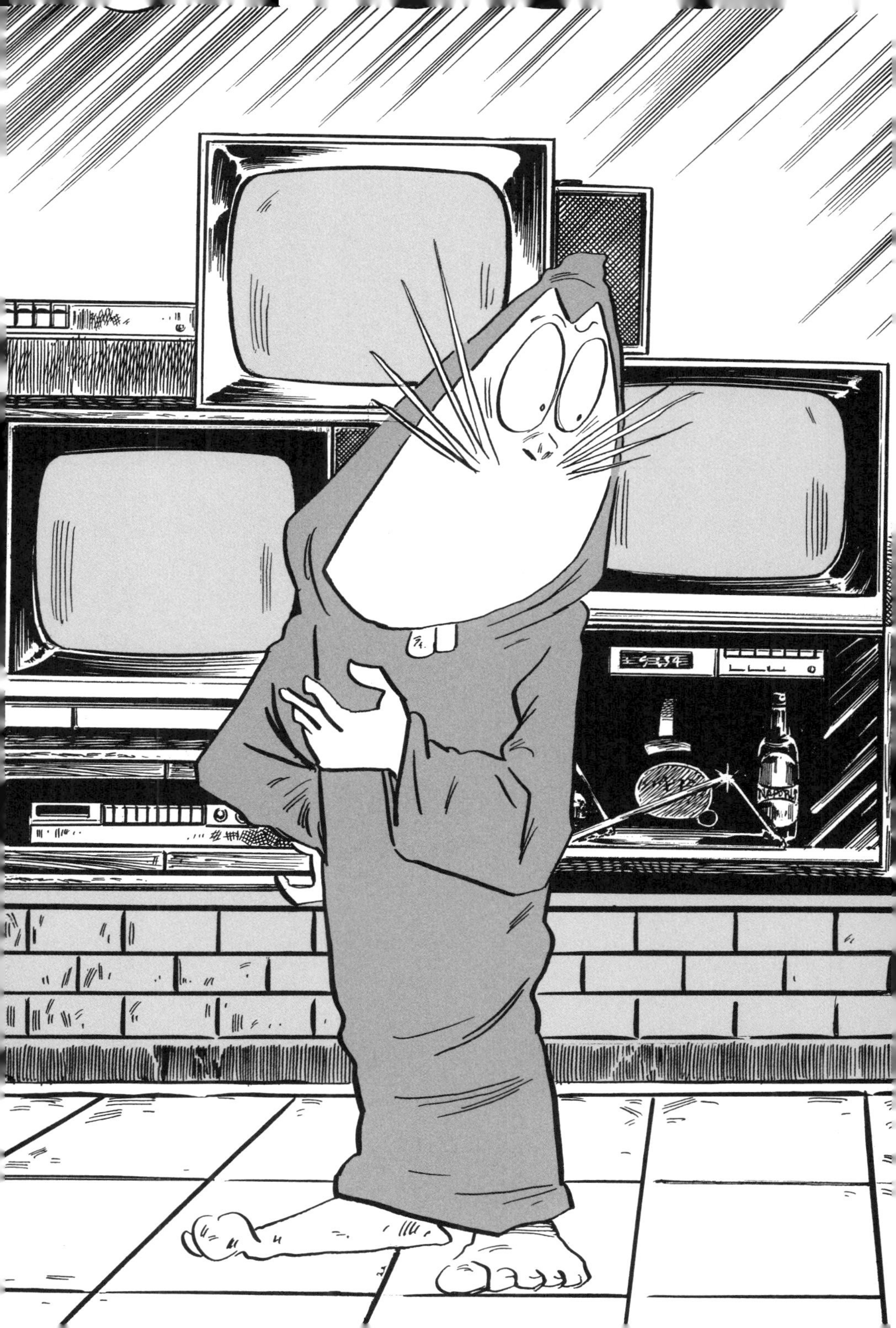

三太はしかたなくハムのコマーシャルをしているテレビの中へ入っていった。

テレビでは、ちょうど「高級ハムのつめあわせセット」のコマーシャルフィルムをながしていた。

「お、おい、はやく。おれは、ここ、二、三日ほどメシを食ってないんだ。はやくもってこい！」

三太が大きなハムと
ソーセージをテレビの
中から出すと、ねずみ男が
うけとってパクパクと食べた。
いっぽう、三太のうちでは、
ゆくえ不明になっているはずの
三太がテレビに出ているのを見て、
おとうさんもおかあさんも
びっくりぎょうてん。
三毛などは、きぜつするありさま。
三太はテレビの中で、
ウィスキーをのんで高いびき。
グーグー、ムニャムニャ。

エッちゃんや三太の友だちも、テレビを見ておおさわぎ。

みんなで、テレビ局にいくことになった。

「ウチの三太が出演しているようですが……。」

おとうさんは、テレビ局の人にかけあった。

が、なぜかテレビ局の人はつめたい。

「そんな人は出演していません。」

みんなは声をそろえて、こうぎした。
「だって出たじゃありませんか。」
「出たと言ってもスタジオには
かんけいありませんよ。」
「そんなばかな。」
あわや、つかみあいになろうと
したときだった。

テレビ局の社長が出てきた。
「ハハハハ。わしも、あの少年が
テレビスタジオとかんけいなく画面に
出てくるので、ふしぎに思っているのです。」
さすがは社長、こういうときでも
おもしろがっている。
「……ともうしますと、スタジオにいない
というと、どこから入ってきたのでしょう。」
おとうさんたちも、ふしぎでたまらない。

エッちゃんがきいた。
「では、社長さん。テレビのコマーシャルに出ているそれはどうなるのですか。」
商品がなくなるそうですが、
なかなかするどい
しつもんだ。
「ウン。それは倉庫にしまってある商品が消えさるのです。」

「自動車でもダイヤモンドでも、消えるのですか。」

「そうです。これには、われわれも全力をあげてしらべているのですが、わかりません。世紀のなぞです。」

そう言うと、社長はうでをくみ、だまってしまった。

エッちゃんは、
「現実には三太さんはいないけれど、
どこかにかならず生きているんだわ。」
と、らくたんしている両親をはげました。
「でも、この世にいないとすれば、
いったいどこをさがしたら
いいのでしょう。」
両親は、空中をにぎりしめるような
かっこうをしてなげいた。
三毛は、特有の動物的カンから、
この事件はゲゲゲの鬼太郎しか
かいけつできないと考えて、
おかあさんのスカートをひっぱった。

おかあさんは、
イライラしていたので、
「このスケベねこ！」
と、三毛をひっぱたいた。
三毛は、ニャンとも
しかたないという表情で、
三太の両親を見つめた。
ところが、
エッちゃんだけは、
三毛の目つきから
鬼太郎を
思いだしたのだった。

「そうだ。ゲゲゲの鬼太郎に相談したらどうでしょう！」

エッちゃんのていあんに、両親も大さんせい。

しかし、鬼太郎がどこにいるのか、だれもしらない。

三毛だけが、動物的カンから、鬼太郎のいるところをしっていた。

三毛は、こんどはおかあさんではなく、エッちゃんにあいずをした。

エッちゃんは、動物や虫と人間をわけへだてしないやさしい心をもっているので、三毛のあいずがすぐにわかった。

三毛のあとについて、みんなが鬼太郎の家をほうもんすると……。

鬼太郎は、
「はははは……。」
と、わらいながら、三太の救出をひきうけた。
鬼太郎には、思いあたるふしがあった。
あのいつも腹をすかしたねずみ男が、バッタリたずねてこなくなったからだ。
しかも、ごうかマンションにひっこしたといううわさに、
鬼太郎はそのカゲになにかあると、思っていたのだ。

ピンポーン。

鬼太郎はさっそく、ねずみ男のごうかなマンションをおとずれた。

ねずみ男は、高価な品物の山にかこまれ、いすにふんぞりかえっていた。

「鬼太郎、わるいけど、ここはおまえみたいなびんぼう人のくるところではない。」

と、鬼太郎をおいかえそうとした。

「おっとっと。そこのテレビのかげにいる子どもはどうしたんだ。」

「ああ、あれは、国際赤十字社から信用されてあずかっている中国の子どもだ。

子ども、はやくテレビの中にかくれろ。」

「バカな。日本人じゃないか。
きみが三太くんだね。三太くん、きみはこのふけつな
ねずみ男の口車にのせられて、飼われていたんだ。」

「鬼太郎、きちゃま、
なんていう下品なことばを……。」

いかりくるったねずみ男は、
大型電気そうじ機で鬼太郎を
すいこもうとした。

ガーーッ！

と同時に、鬼太郎の一発！

「しばらく、ねむっていてくれ。」

ねずみ男は、あえなく
たおれてしまった。

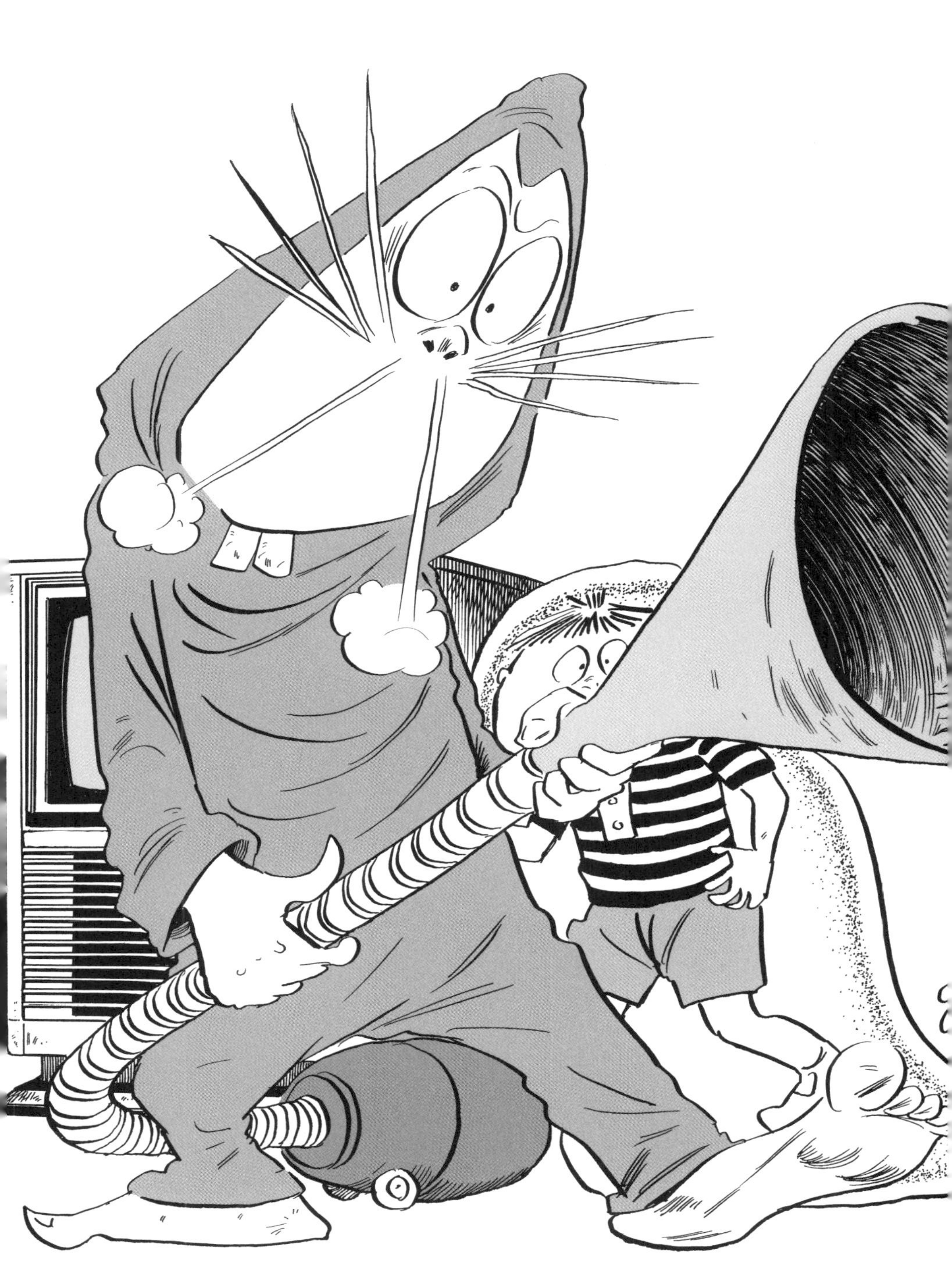

「おい、三太くん。いつまでもテレビの中にいてもしかたがないだろう。出てきたまえ。」

「はい。」

「いままであったことを、くわしくはなしてくれないか。」

鬼太郎がおだやかに言うと、三太もあんしんして、一部しじゅうを話しだした。

「なるほど。すべては、きみがざしきわらしの家に勝手に入ったことからはじまったんだね。」

「そういうことになりますか……。」

「ところで、ざしきわらしの家の中にひみつの丸薬みたいなものはなかったかね。」

鬼太郎は、話のポイントをききだすのが、とてもじょうずだ。

「そう言えば、三毛がポケットに入れとけと言った丸薬みたいなものがあります。」

三太がそう言うと、鬼太郎はニッコリわらって言った。

「では、はやくそれをのみこむのだ。」

三太はポケットから、まるい玉をとりだして口の中へほうりこんだ。

ボワーン!
あの白いビニールに
つつまれたときと、
同じ現象がおきた。

「あっ、ビニールぶくろみたいなものがなくなっている！」

三太は、自分のからだにさわって大よろこび。

「鬼太郎さん、ほんとうにありがとうございました。」

「ウン。これで、いつもの三太くんにもどったんだよ。」

「それにしても、このねずみ男というのは、まったくわるい人ですねえ。」

「そう。こいつの口車にのって、
どれだけおおくの子どもが
めいわくしたかわからない。
でも、こいつのすることは、
かならずしっぱいするから
おもしろいよ。
あいきょうもあるんだ。」
ねずみ男は、まだ目を
まわしていた。

三太がかえろうとすると、鬼太郎がよびとめた。
「三太くん。まだぜんぶおわったわけじゃない。」
「えっ。と、言いますと？」
「これから、ざしきわらしのところに
あやまりにいくのだ。」
「はあ？」
「だまって家に入られることを、
おばけはいちばんいやがるのだよ。
だから、人間がおばけの家に入ろうとすると、
いろいろなことをしておどかすんだ。」
三太はとたんにふるえだした。いまになって、
自分のやったことがこわくなったのだ。

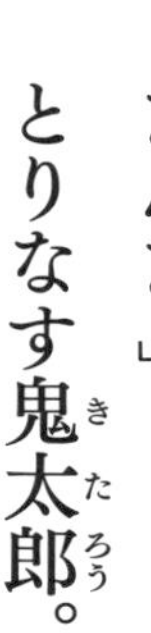

「ぼくがついていくから、
だいじょうぶだよ。」
　鬼太郎はそう言って、
三太をざしきわらしの家へ
つれていった。
　ざしきわらしは、
「おらの家にだまって
入っちゃあだめだよ。」
と、にらみつける。
「まあ、そう言うな。
三太もあやまりに
きたんだ。」
　とりなす鬼太郎。

「ぼく、
はんせいしてるんだ。
ゆるしてくれ。」
頭をかく三太をみて、
ざしきわらしは、
こころよくゆるし、
「おらも、ちったあ
勉強しようと思って、
学校にいったんだ。」
と、自分の気もちをうちあけた。
ざしきわらしの気もちをしった
三太は、あす校長先生に
話してあげようと思った。

あくる日、学校にいくと、
みんな三太のまわりに
あつまってきて、
三太のからだをさわったり、
しつもんぜめにした。
「テレビの中は
どうなってるんだ。」
「品物はどうして出せたの。」
「うまくやったなあ。」
三太は、すっかり
英雄にされてしまった。

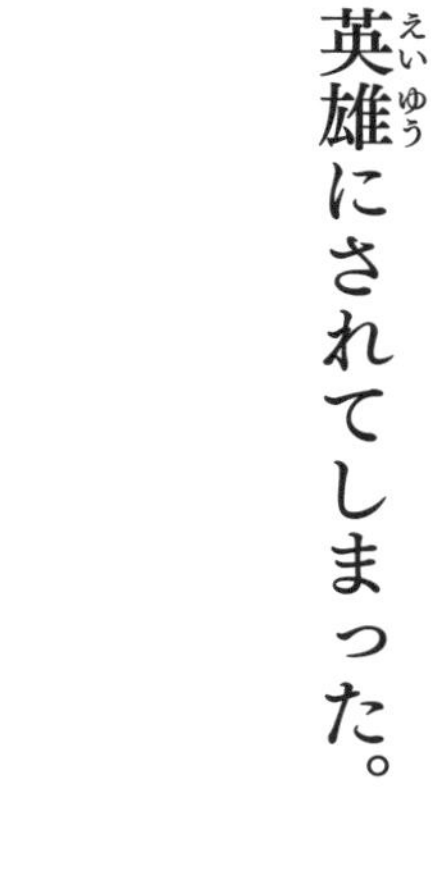

そのうち授業のかねがなって、
先生がひとりの転校生をつれてきた。
「あっ、ざしきわらしだ。」
先生にしょうかいされなくても、
みんなはもうじゅうぶんしっていた。
「みなさん、いままで、ぼくたちおばけは
人間のことがわからず、人間もおばけの
ことがわからず、いろいろ事件がおきました。
これからは、おたがいにわかりあって
なかよくやりましょう。」
ざしきわらしは、政治家のような
りっぱなあいさつをして、みんなから
はくしゅかっさいをあびた。

いっぽう、神社のほこらでは……。

「ちえっ。今回もいいところまでいったのに、ええかっこしいのおまえのために、すべてをうしなってしまった。」

ねずみ男は、ふきげんに、やけ酒をあおっていた。

おわんのおふろでひとあびしていた鬼太郎のおとうさんは、ケラケラわらいながら言った。

「おまえはいつも、らくしてとくしようとするから、しっぱいするんだよ。たまには、どりょくしてみい。」

しかし、だれが忠告しても、ねずみ男のなまけぐせは、たぶんなおらないだろう。なまけものにつけるクスリはないのだ。

空にはたいようがかがやき、草むらでは、鬼太郎をたたえるゲゲゲのゲの歌がひびいていた。

水木しげる

1922年、鳥取県境港市出身。同市の高等小学校を出て大阪にゆき、いろいろな職業につきながら、いろいろな学校を出たり入ったりする。戦争で左腕を失う。著書には『ゲゲゲの鬼太郎』『悪魔くん』『河童の三平』『日本妖怪大全』などがある。

※本書は、1981年にポプラ社より刊行された『水木しげるのおばけ学校⑥　3年A組おばけ教室』を再編集したものです。再編集にあたって、一部、現代の社会通念や人権意識からは不適切と思われる表現を修正しております。

3年A組おばけ教室

新装版　水木しげるのおばけ学校⑥

2024年9月　第1刷

著　者　　水木しげる
発行者　　加藤裕樹
発行所　　株式会社 ポプラ社
〒141-8210 東京都品川区西五反田3-5-8
JR目黒MARCビル12階
ホームページ　www.poplar.co.jp
印刷・製本　中央精版印刷株式会社
デザイン　野条友史（buku）
ロゴデザイン協力　BALCOLONY.

落丁・乱丁本はお取り替えいたします。ホームページ（www.poplar.co.jp）のお問い合わせ一覧よりご連絡ください。

N.D.C.913 ／ 111P ／ 22cm ISBN 978-4-591-18271-0
P4184006